名家教你写

赵孟頫《妙严寺记》

视频精讲版

◎韦斯琴 编

中原出版传媒集团
中原传媒股份公司
河南美术出版社
·郑州·

妙嚴寺本名東際距吴
興郡城七十里而近曰
嚴朝御秦

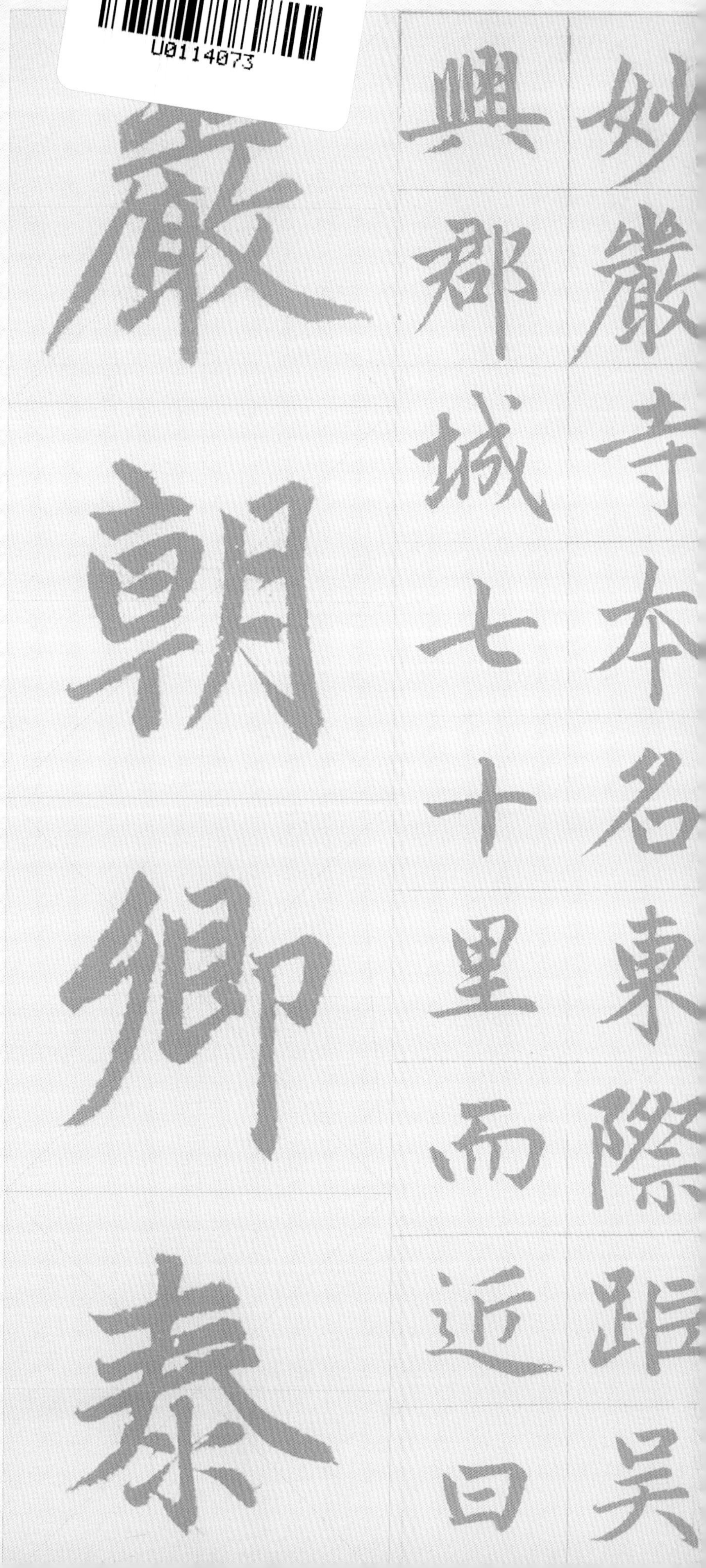

图书在版编目（CIP）数据

赵孟頫《妙严寺记》/韦斯琴编. — 郑州：河南美术出版社，2023.5

（名家教你写：视频精讲版）

ISBN 978-7-5401-6137-8

Ⅰ. ①赵… Ⅱ. ①韦… Ⅲ. ①楷书－碑帖－中国－元代 Ⅳ. ①J292.25

中国国家版本馆CIP数据核字(2023)第048487号

名家教你写　视频精讲版

赵孟頫《妙严寺记》

韦斯琴　编

出 版 人　王广照
责任编辑　谷国伟　赵　帅
责任校对　王淑娟
装帧设计　杨慧芳
出版发行　河南美术出版社
地　址　郑州市郑东新区祥盛街27号
邮政编码　450016
电　话　0371-65788152
印　刷　河南瑞之光印刷股份有限公司
经　销　新华书店
开　本　889mm×1194mm　1/16
印　张　3.75
字　数　47千字
版　次　2023年5月第1版
印　次　2023年5月第1次印刷
书　号　ISBN 978-7-5401-6137-8
定　价　28.80元

出版说明

赵孟頫（1254—1322），字子昂，号松雪道人、水精宫道人。湖州（今属浙江）人。官至翰林学士承旨，封魏国公，谥文敏。楷书四大家之一。其人博学多才，能诗善文，工书法，精绘艺，擅金石，通律吕，解鉴赏。其于书法和绘画成就最高，开创元代新画风，被称为『元人冠冕』。有《松雪斋集》十卷、外集一卷传世。另著有《谈录》一卷。

《妙严寺记》是赵孟頫五十六岁时所书的中楷作品。纸本，高34.2厘米，长364.5厘米，现藏于美国普林斯顿大学美术馆。

此文由牟巘撰写。牟巘，字献甫、献之，世称『陵阳先生』。有《陵阳集》二十四卷传世。南宋末年，牟巘曾官至大理少卿，至元代隐而不仕，居于湖州南园，与赵孟頫的莲花庄毗邻。牟巘比赵孟頫年长二十七岁，但两人兴趣相投，时常一起谈书论艺，遂成忘年之交。赵孟頫的许多作品，内容皆由牟巘撰文。

赵孟頫所书《妙严寺记》虽为楷书作品，但行书笔意较浓，结体上仍宗唐代李北海的疏朗刚健之气。而通篇气息则更近晋人，诸如『映带清流』四字完全是从王羲之《兰亭序》中转借而来。赵孟頫行笔畅达率意，以行云流水的节奏书写楷书，完全脱离了中唐时颜、柳逆锋入纸，楷法森严的格局，独辟蹊径，故而被后世列入『楷书四大家』。

细观赵孟頫的中楷作品，如果我们跳开点横撇捺，从每个字的聚散、妙趣来理解，便可读出字里行间的清风雅韵。诸如我们看赵孟頫写『吴兴』的『兴』字，直立的五个竖画，每一笔入锋的角度都不同，长短也有别。参差间有连带牵丝，也有短横间的连笔，这些就仿佛短篱上的藤蔓与篱间摇曳的野菊花，顾盼间诗意盎然。五个参差的竖画被一条长横托住，正如篱笆的横条；而其下两点恰似篱边的卵石，是画眼，也是平衡点。如此去理解古人的笔墨，我们会发现许多字外的神采，也更容易入帖入境。

赵孟頫能在书法上获得如此成就，和他善于学习他人的艺术优点是分不开的。赵孟頫认为：『学书有二，一曰笔法，二曰字形。笔法弗精，虽善犹恶；字形弗妙，虽熟犹生。学书能解此，始可以语书也。』『学书在玩味古人法帖，悉知其用笔之意，乃为有益。』在临写古人法帖上，他指出了颇有意味的事实：『昔人得古刻数行，专心而学之，便可名世。况《兰亭》是右军得意书，学之不已，何患不过人耶。』

其实，书法之所以不同于简单的书写，正因为这些点画间的气韵、呼应、揖让，以及通篇的节奏、墨韵，还有字里行间透出的书家之胸襟、情怀、审美……

总之，书法作为中华民族传统文化的精髓之一，有着深刻的内涵。而随着我们眼界的提升，笔墨之外的魅力将逐渐彰显。

那么，握笔体会吧！

湖州妙严寺记

前朝奉大夫大理

少卿牟巘記撰

少卿牟巘（记）撰

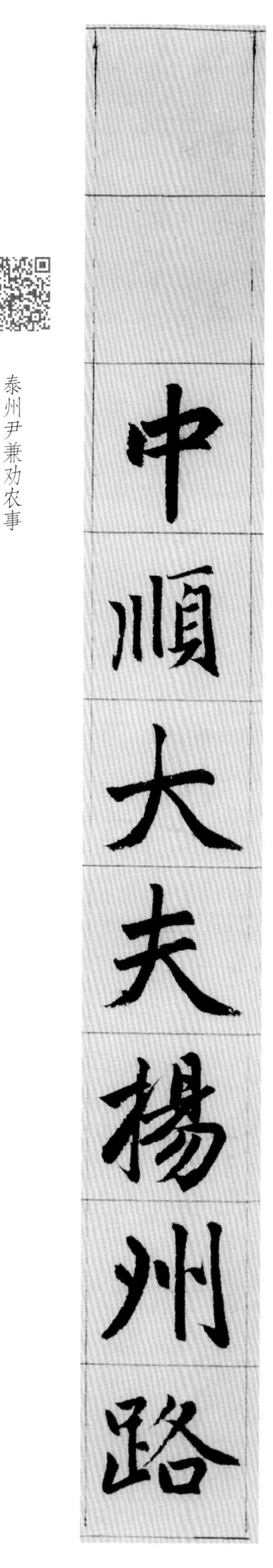

中顺大夫扬州路

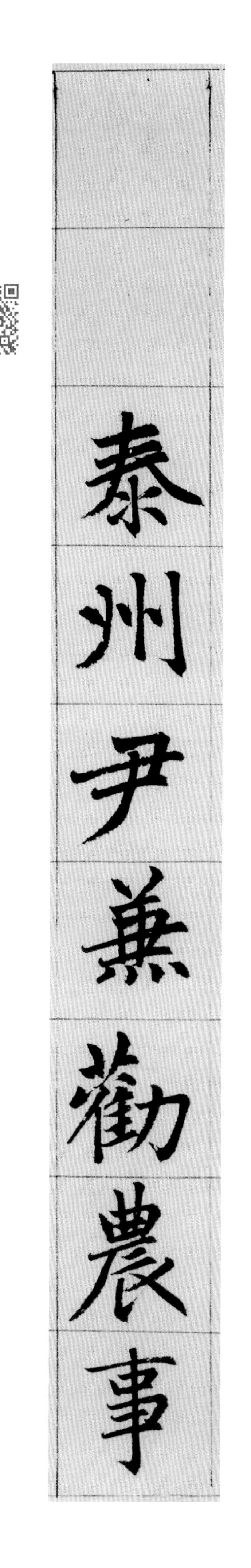

泰州尹兼劝农事

赵孟頫书并篆额

妙嚴寺本名東際距吳

妙严寺本名东际距吴

興郡城七十里而近曰

兴郡城七十里而近曰

徐林東接烏戍南對涵

徐林东接乌戍南对涵

山西傍洪澤北臨洪城

山西傍洪泽北临洪城

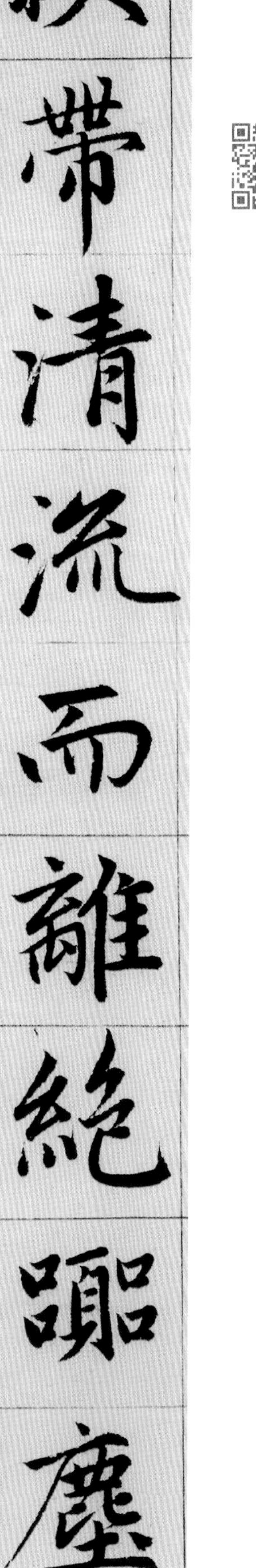

暎帶清流而離絕囂塵

映带清流而离绝嚣尘

誠一方勝境也先是宋

诚一方胜境也先是宋

嘉熙间是庵信上人于

焉创始结茅为庐舍板

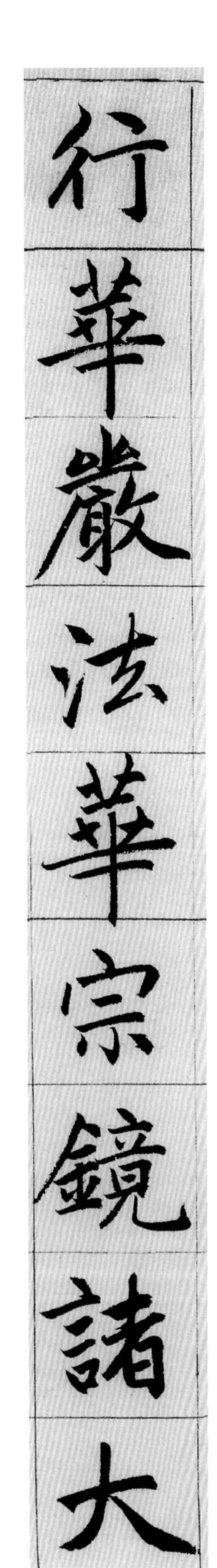

行华严 法华宗镜诸大

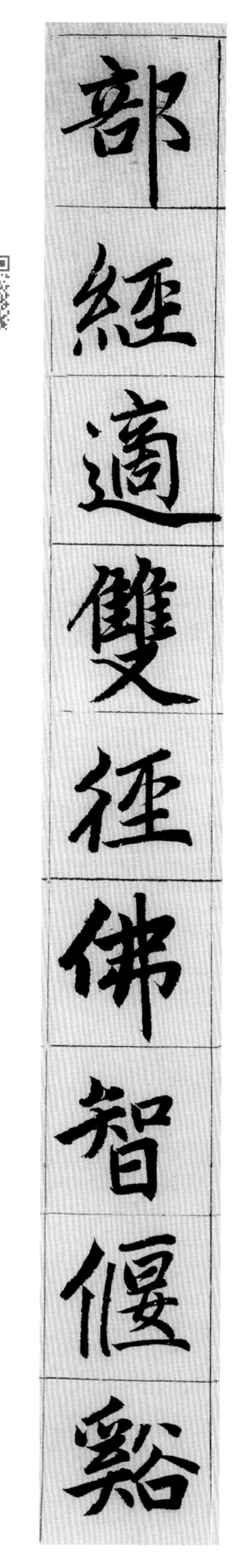

部经适双径佛智偃溪

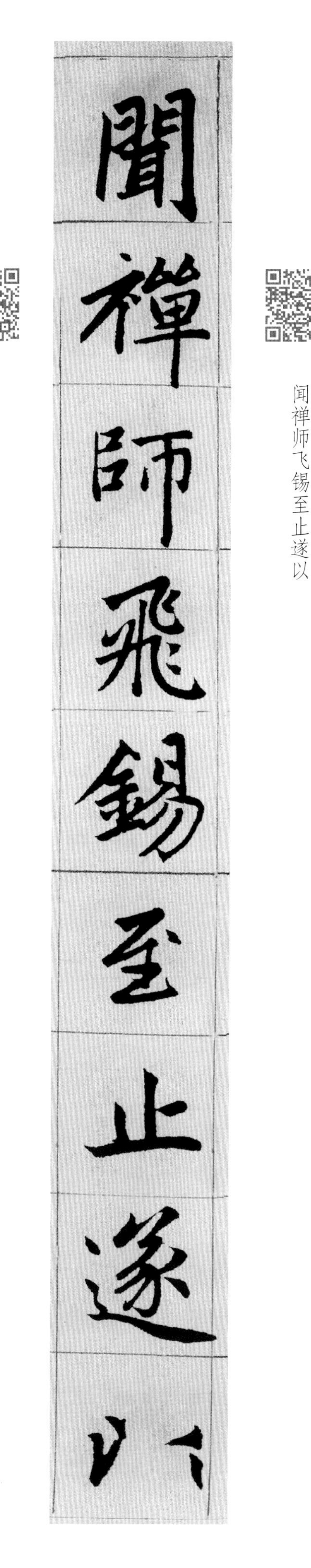

闻禅师飞锡至止遂以

妙严易东际之名深有

旨哉其徒古山道安同

旨哉其徒古山道安同

志合慮募緣建前後殿

志合虑募缘建前后殿

堂翼以兩廡莊嚴佛像

堂翼以两庑庄严佛像

置大藏经琅函贝牒布

互森罗念里民之遗骨

无所于藏遂浚莲池以

歸之寶祐丁巳是菴既

归之宝祐丁巳是庵既

化安公繼之安素受知

化安公继之安素受知

趙忠惠公維持翊助給

赵忠惠公维持翊助给

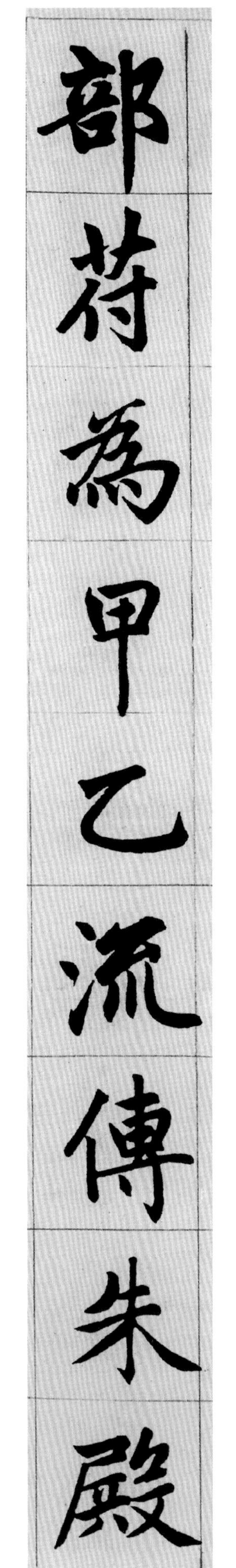

部苻为甲乙流传朱殿

院应元实为之记中更

世故劫火洞然安公乃

聚瓦砾扫煨烬一新旧

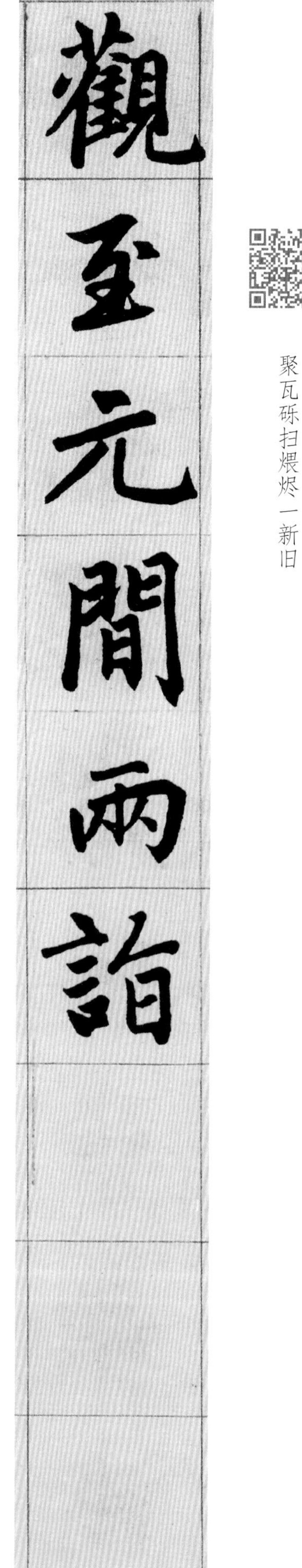

观至元间两诣

阙廷凡申陈皆为法门

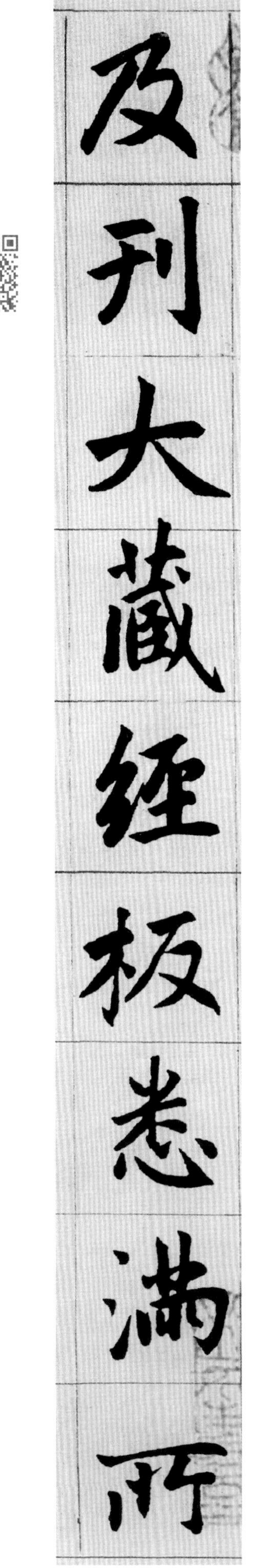

及刊大藏经板悉满所

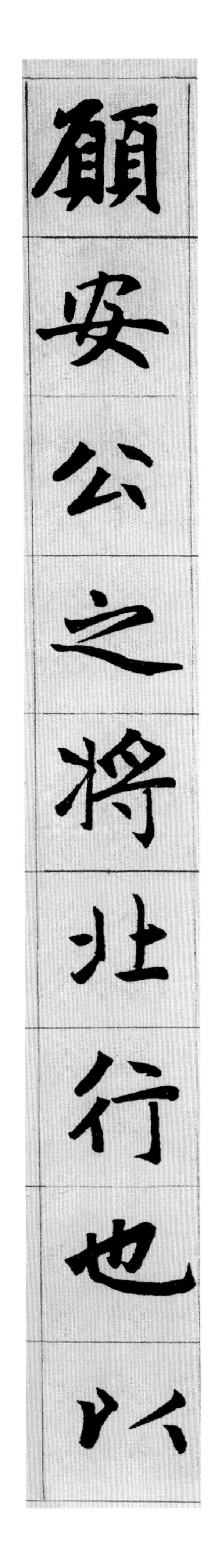

愿安公之将北行也以

院事勤重付嘱如宁后

果示寂于燕之大延壽

果示寂于燕之大延寿

寺蓋一念明了洞視死

寺盖一念明了洞视死

生不間豪髮寧履踐真

生不间豪发宁履践真

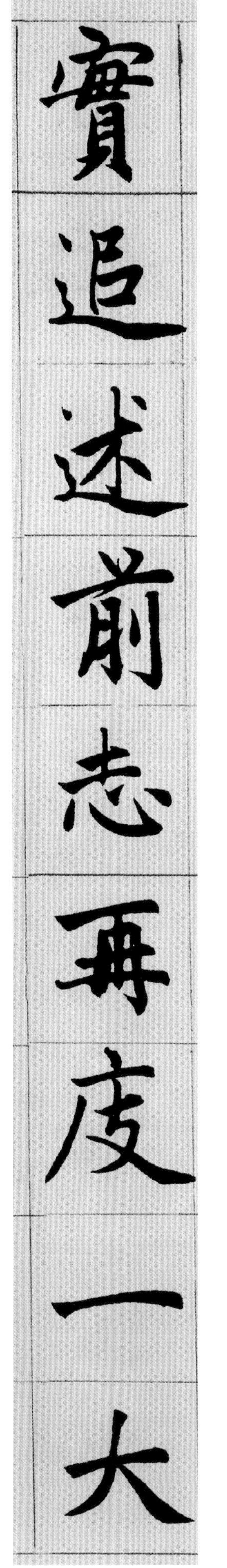

实追述前志再度一大

藏命众翻阅创圆觉期

會建僧堂圓通殿以安

会建僧堂圆通殿以安

像设备极殊胜壬辰受

法旨陞院爲寺扁今額

法旨升院为寺扁今额

焉繼寧者如妙重闢三

焉继宁者如妙重辟三

门两庑庵湢等屋继如

妙者如渭幻十八开士

于后殿两厢金碧晌耀

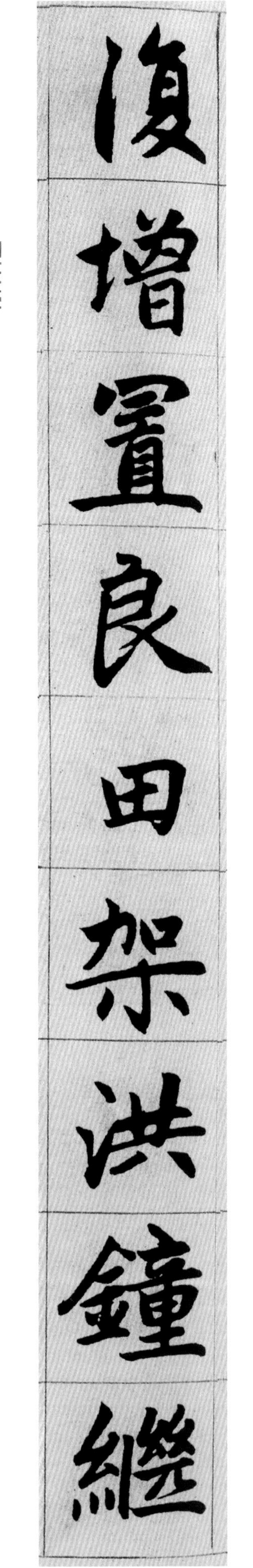

复增置良田架洪钟继

如渭者明照方将竭蹶

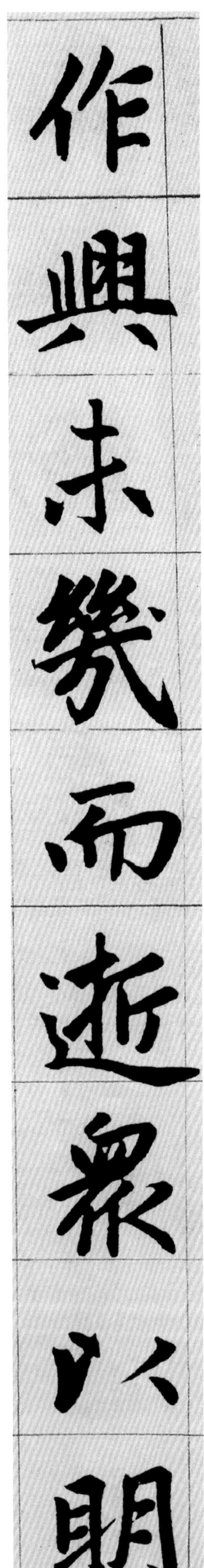

作兴未几而逝众以明

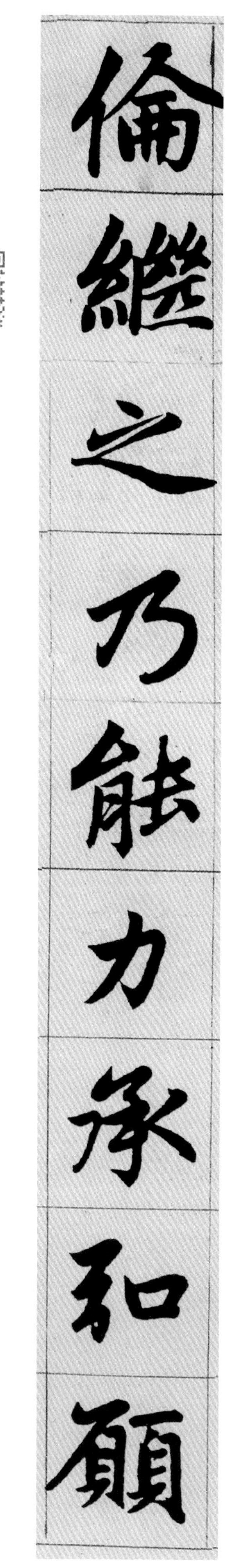

伦继之乃能力承弘愿

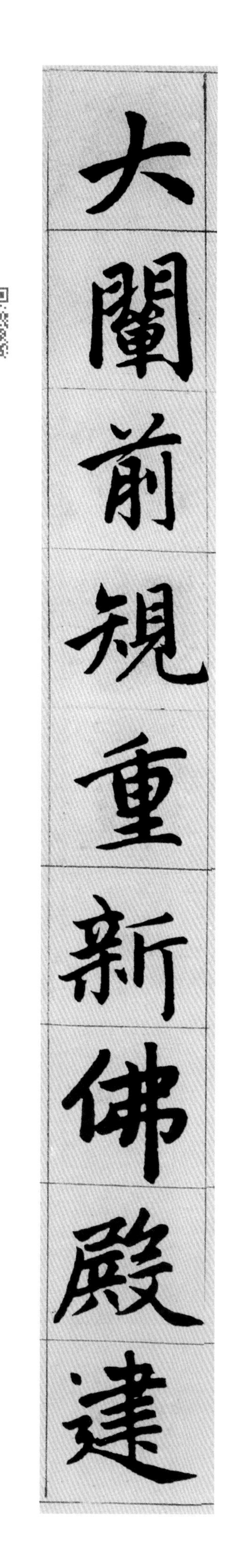

大阐前规重新佛殿建

毗卢千佛阁及方丈凡

寺之诸役皆讫于成顾

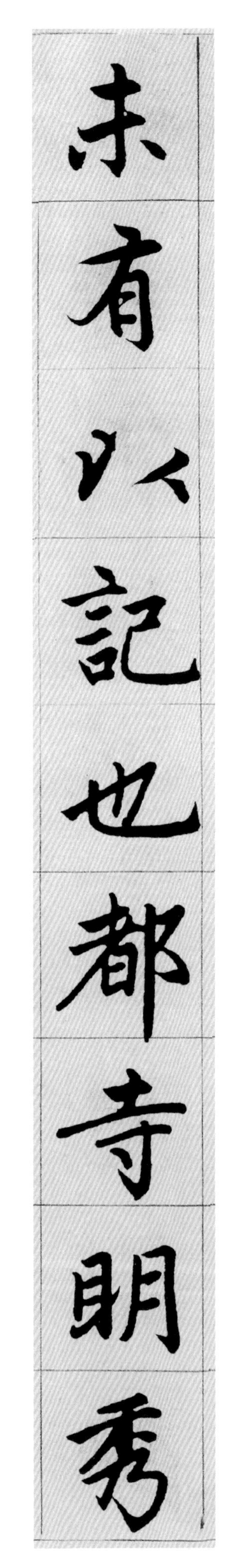

未有以记也都寺明秀

状其事因余友文心之

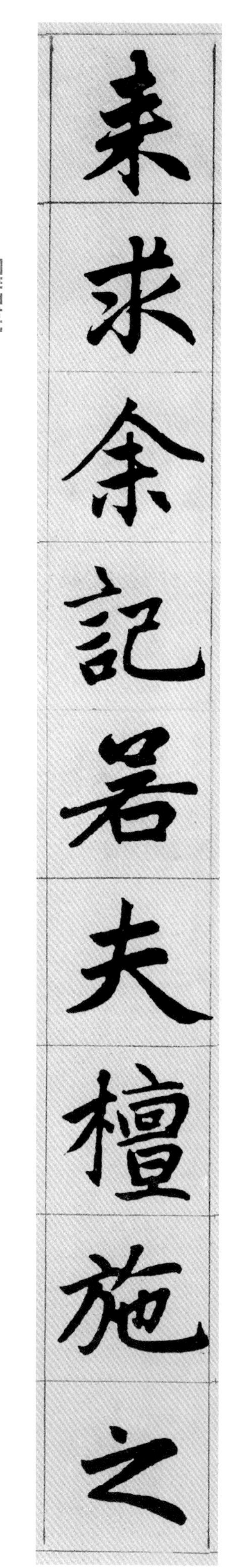

来求余记若夫檀施之

名氏创建之岁月载于

碑陰聞能仁氏集無邊

碑阴闻能仁氏集无边

开士于七处九会演唱

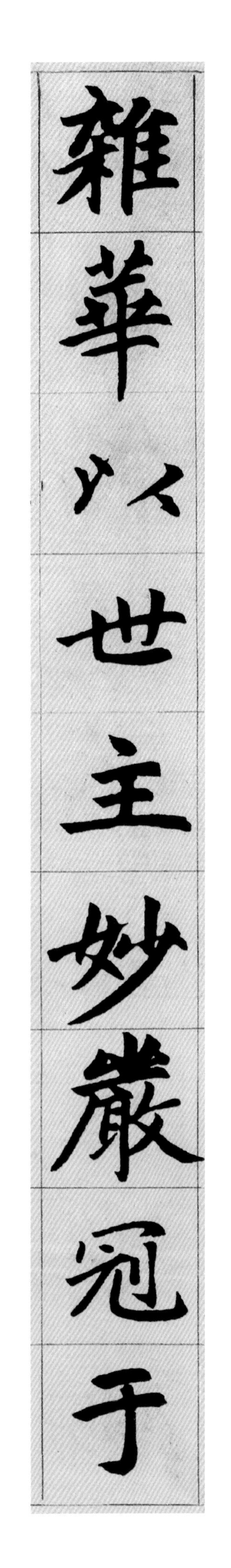

杂华以世主妙严冠于

品目之首者良有以也

余老于儒业独未暇备

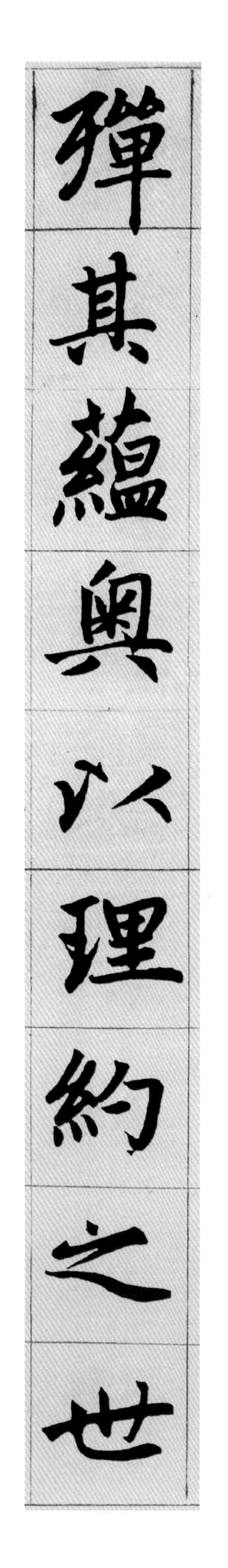

殚其蕴奥以理约之世

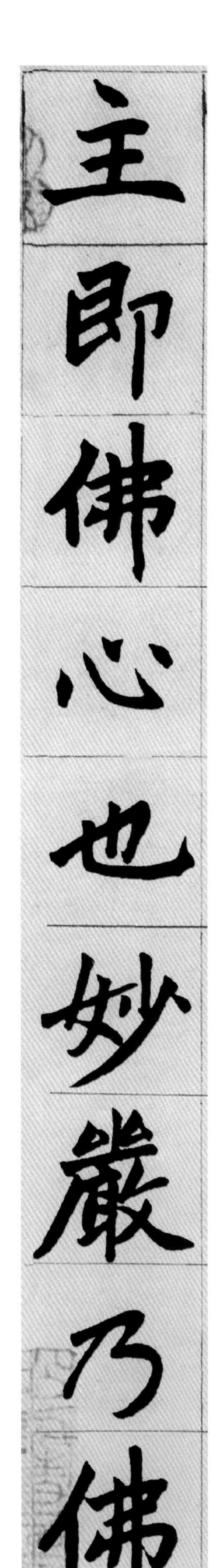

主即佛心也妙严乃佛

心中所现之事相也今

重重邃宇广博殊丽苟

非佛心所現孰能有是

非佛心所现孰能有是

哉使推广此心一切时

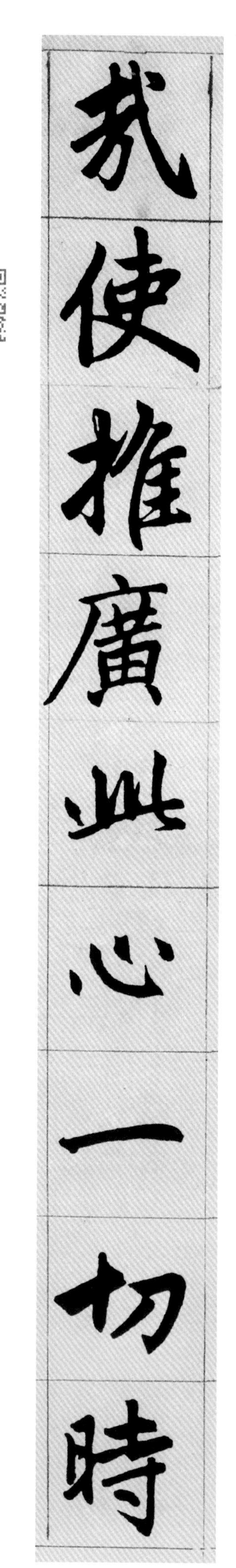

中饶益有情大作佛事

则上邻日月下绝空轮

則上鄰日月下絶空輪

皆所谓妙庄严域者也

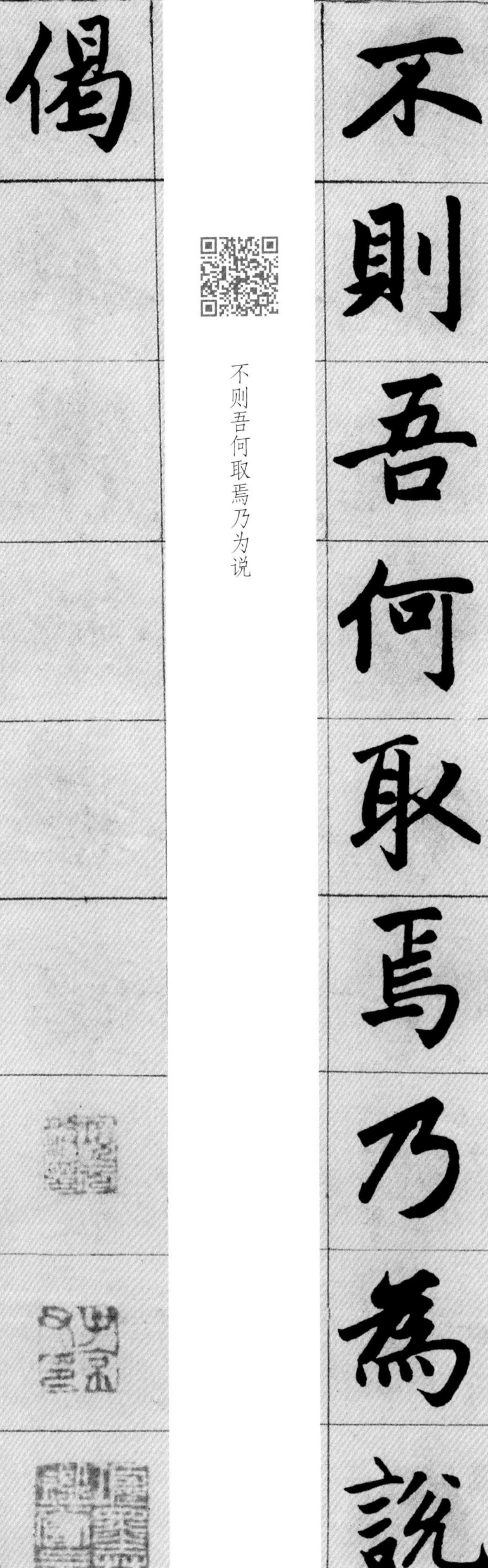

不则吾何取焉乃为说

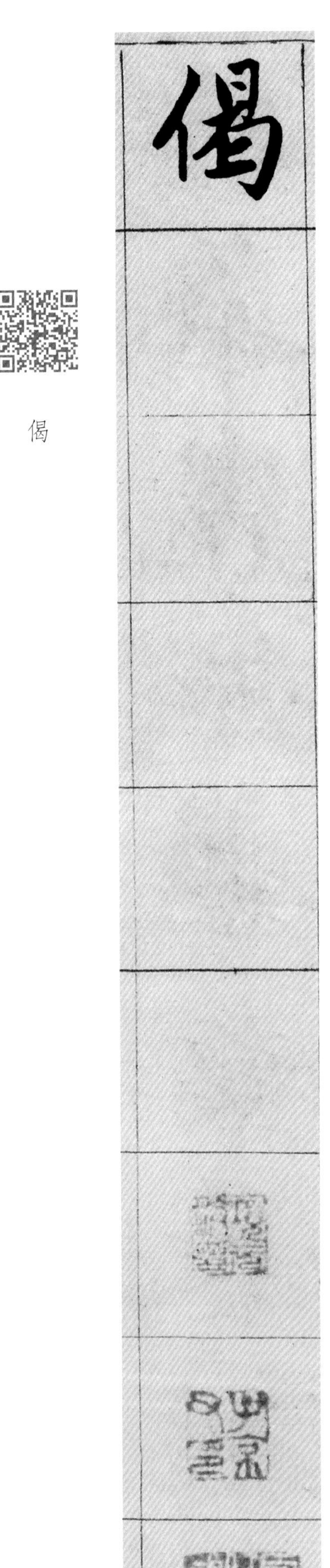

偈

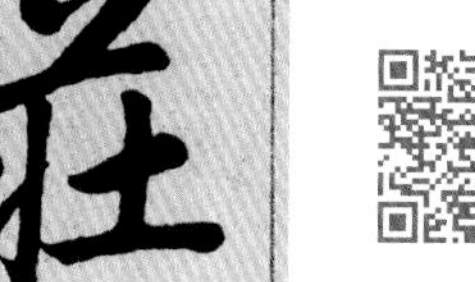

妙莊嚴域與世殊非意

妙庄严域与世殊非意

所造離精粗佛心幻出

所造离精粗佛心幻出

真範模清淨宛若摩尼

真范模清净宛若摩尼

珠光明洞洞含十虛殿

珠光明洞洞含十虚殿

堂樓閣幷廊廡天人降

堂楼阁并廊庑天人降

下黄金都地神捧出青

下黄金都地神捧出青

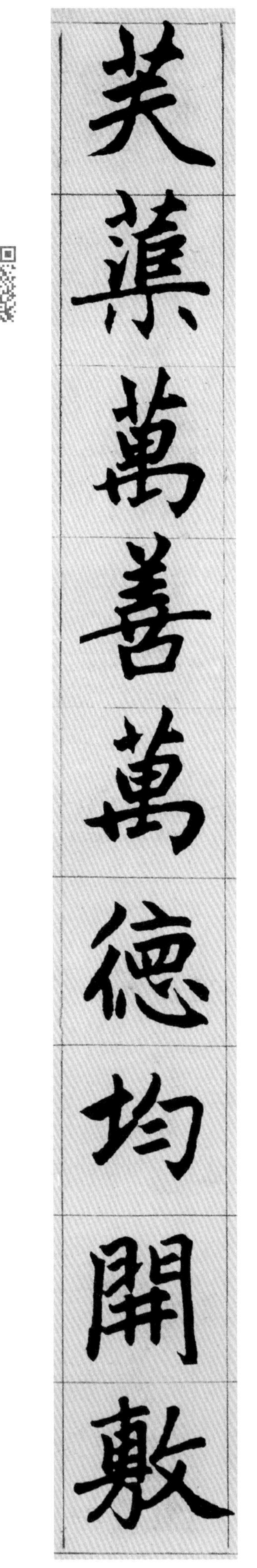

芙蕖万善万德均开敷

广推祖道充寰区警发

品類空泥塗曰福曰壽

品类空泥涂曰福曰寿

资

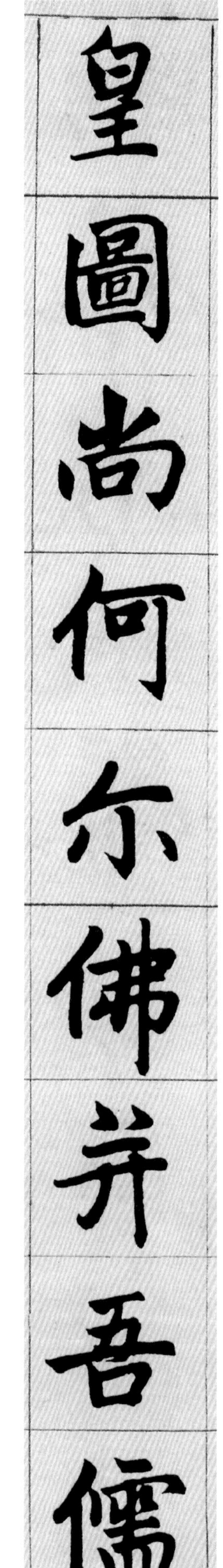

皇图尚何尔佛并吾儒

世出世异惟道俱功侔

造化超有无其不尔者

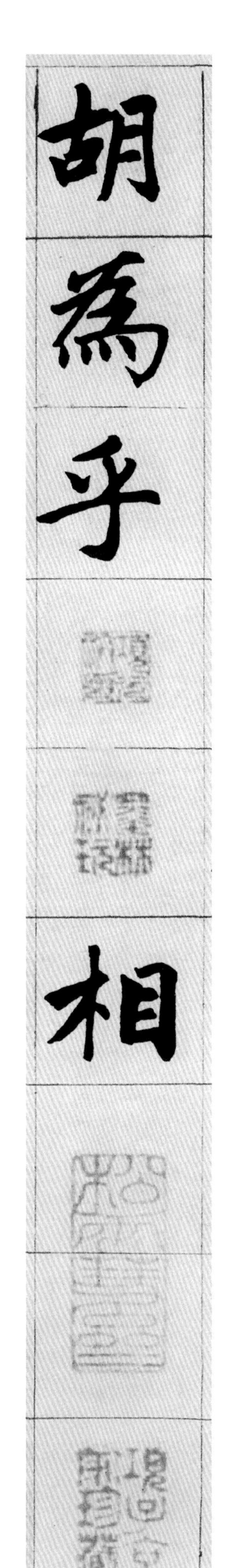

胡为乎相

赵孟頫《妙严寺记》（局部二）

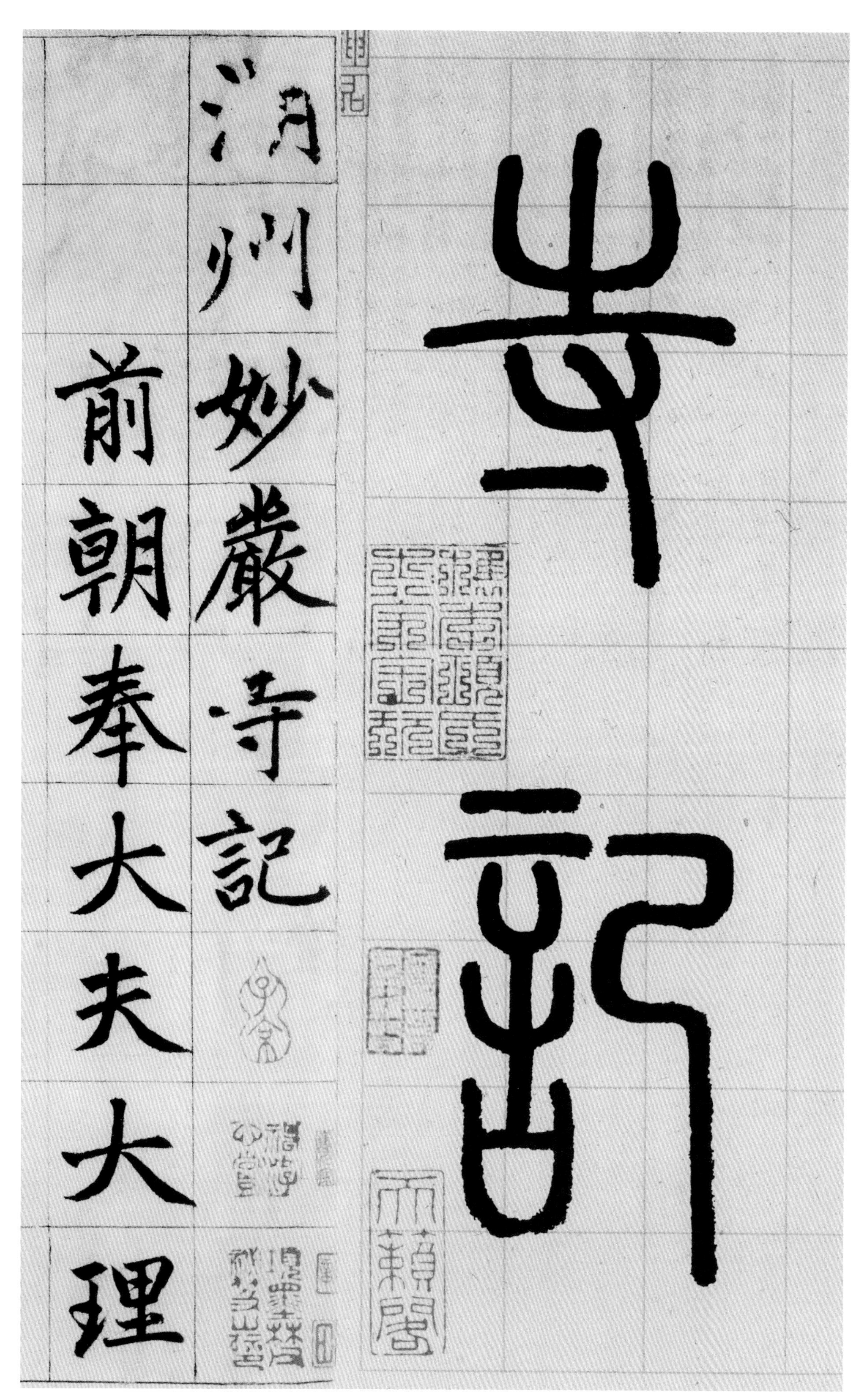

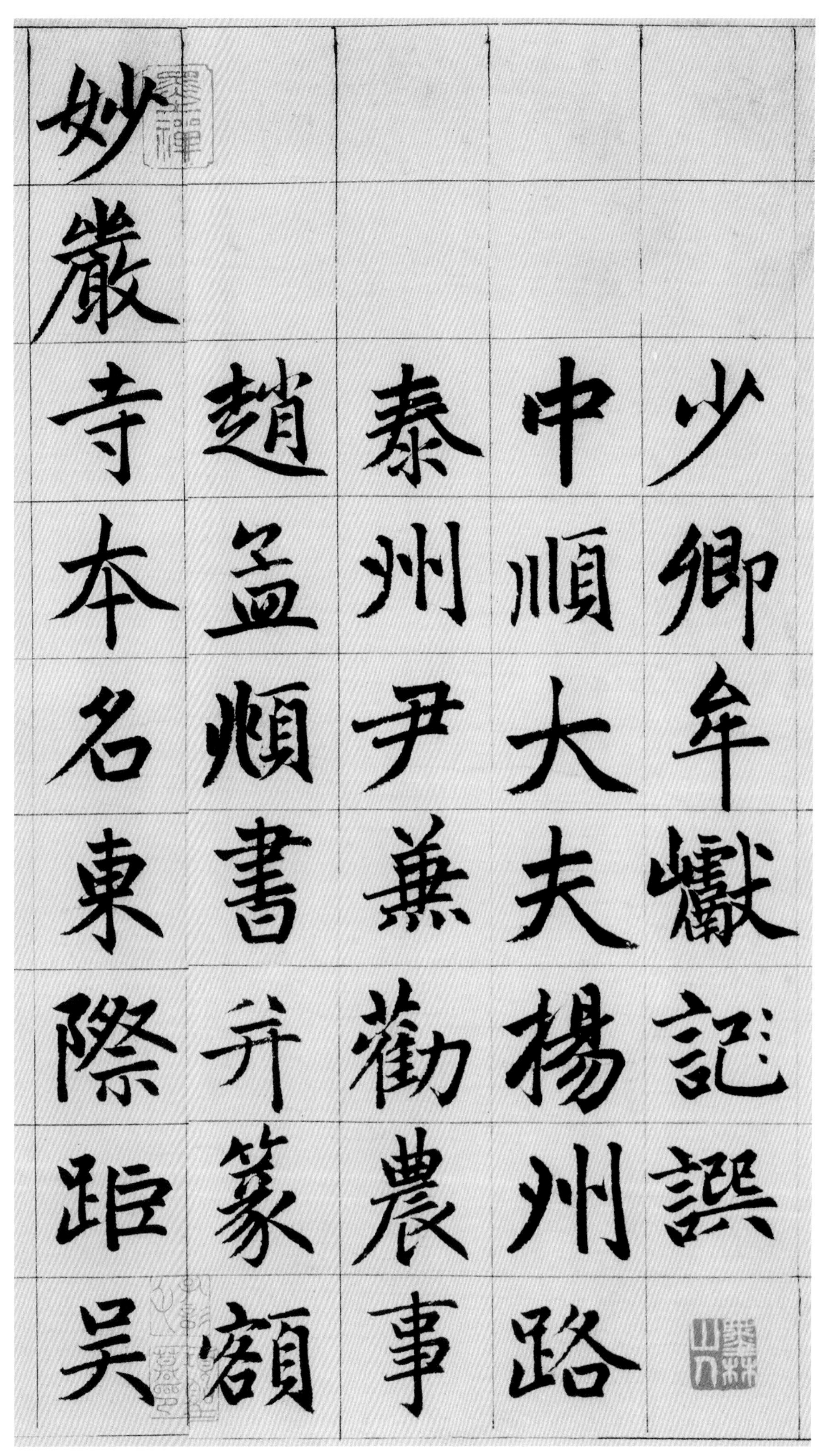
少卿牟巘記譔
中順大夫楊州路
秦州尹兼勸農事
趙孟頫書并篆額
妙嚴寺本名東際距吳

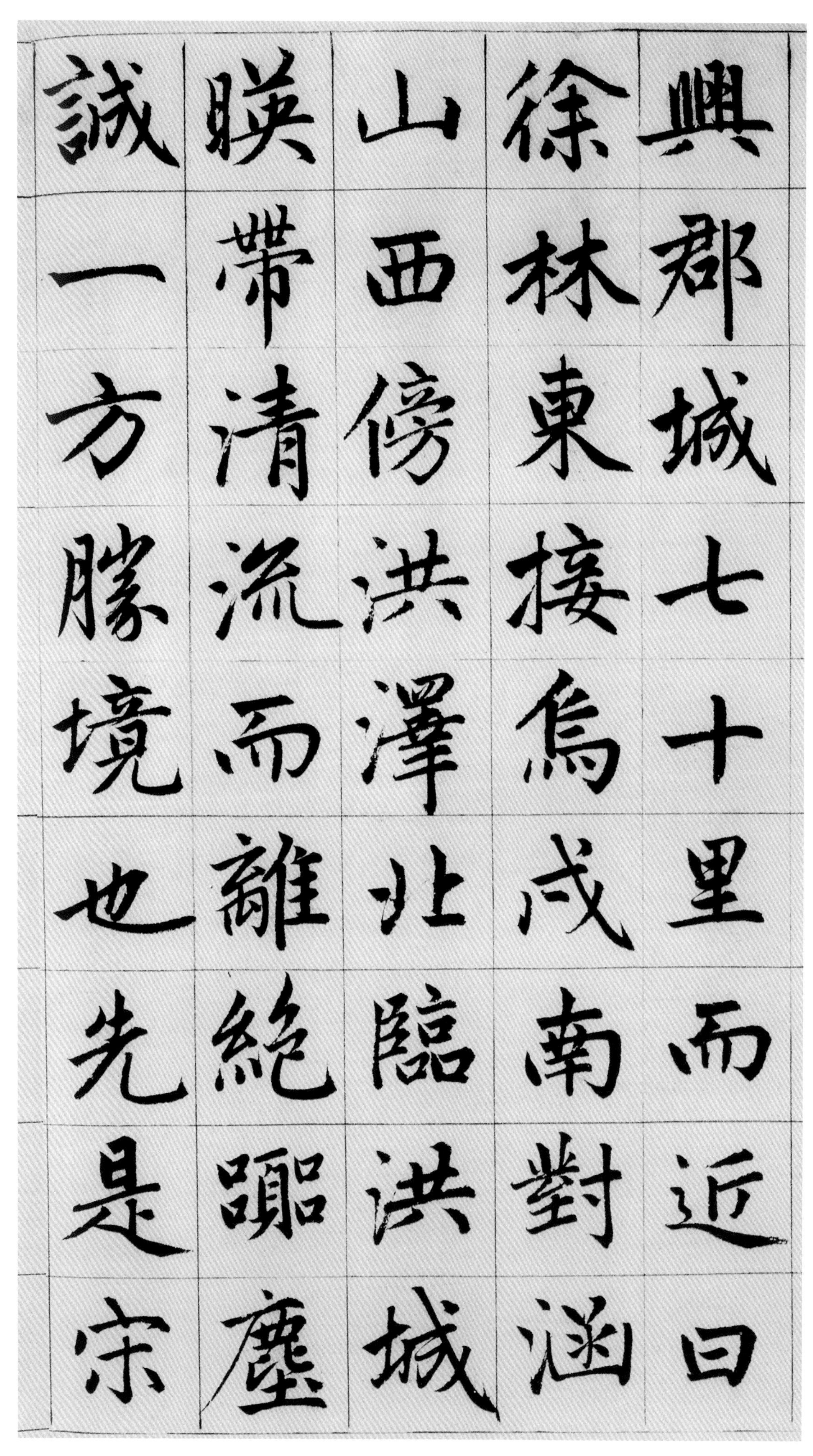
興郡城七十里而近曰
徐林東湊爲戍南對涵
山西傍洪澤北臨洪城
暎帶清流而離絕囂塵
誠一方勝境也先是宗

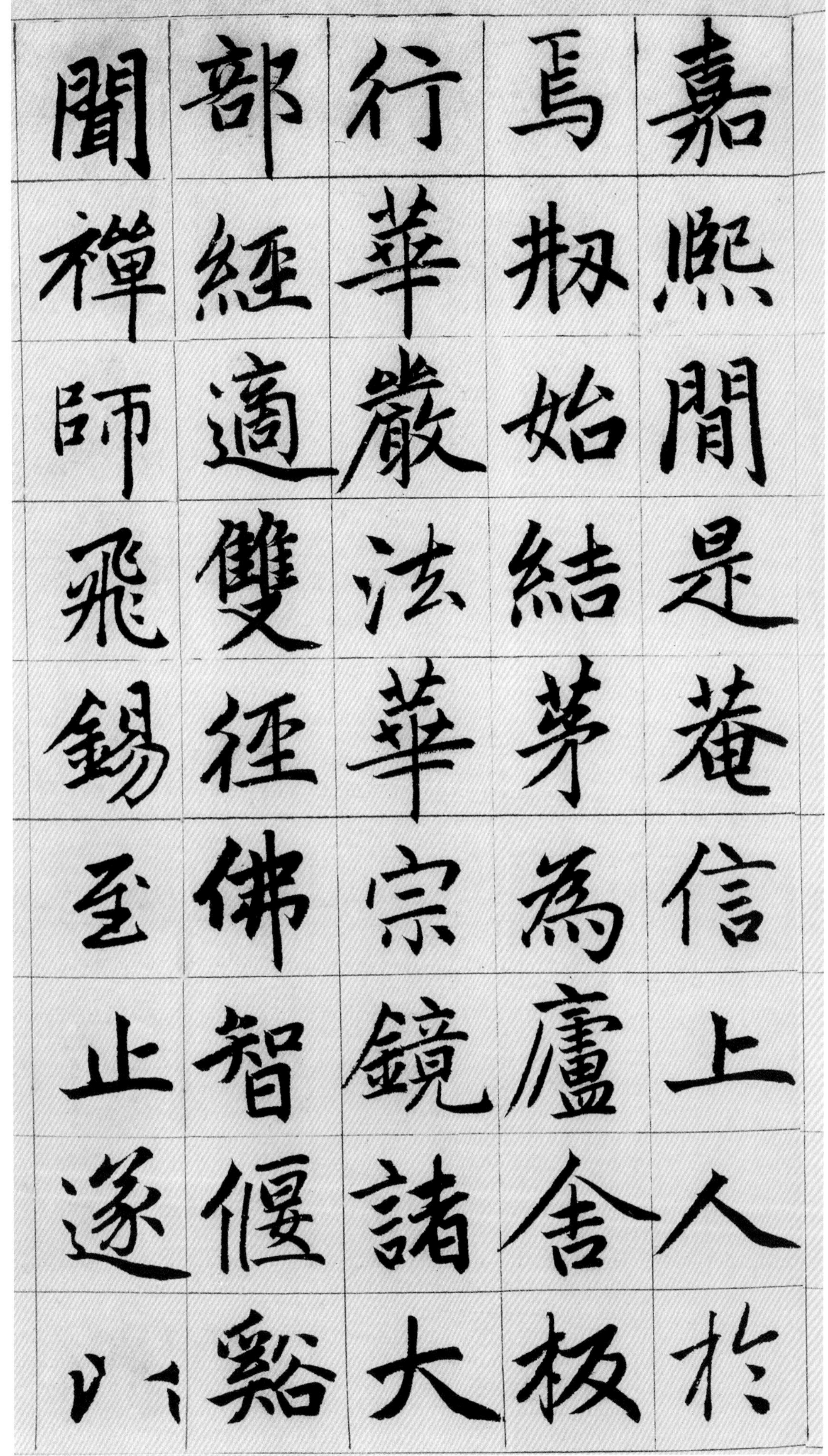
嘉熙間是菴信上人於
焉拯始結茅為廬舍极
行華嚴法華宗鏡諸大
部經適雙徑佛智偃谿
聞禪師飛錫至止遂以

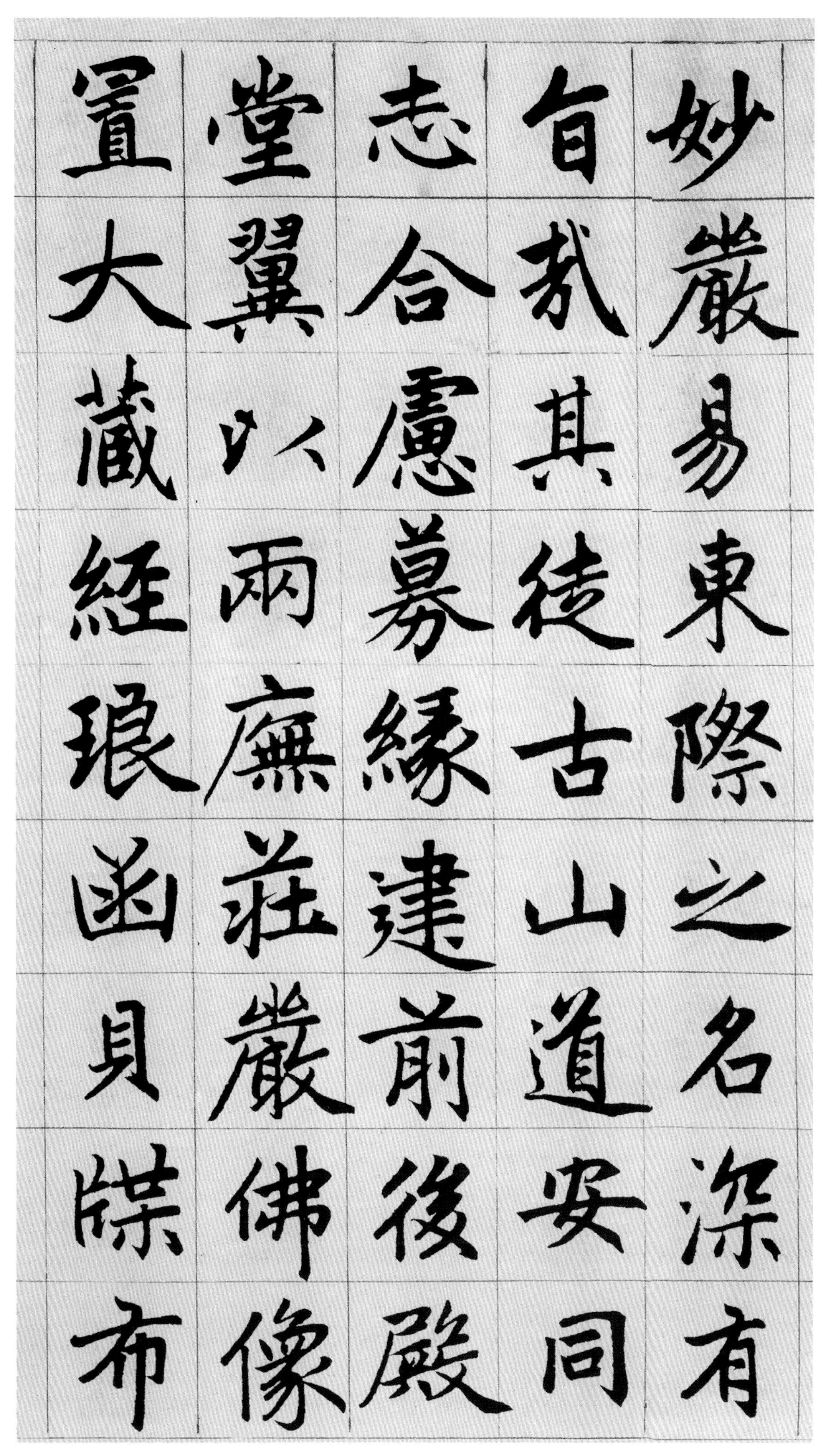
妙嚴易東際之名深有
旨哉其徒古山道安同
志合慮慕緣建前後殿
堂翼以兩廡莊嚴佛像
置大藏經琅函貝牒布

互森羅念里民之遺骨
無所於藏遂浚蓮池以
歸之寶祐丁巳是菴既
化安公繼之安素受知
趙忠惠公維持翊助給

部符為甲乙流傳朱殿
院應元寔為之記中更
世故刦火洞然安公乃
聚凡礫掃煨燼一新舊
觀至元間兩詣

闕廷凡申陳皆爲法門
及列大藏經板巻滿所
顧安公之將壯行也以
院事勤重付屬如寧後
果示寐于燕之大延壽

寺蓋一念明了洞視无
生不聞豪髮寧覆踐真
實追述前志再度一大
藏命衆緇闢撤圓覺期
會建僧堂圓通殿以安

赵孟頫《妙严寺记》（局部一一）

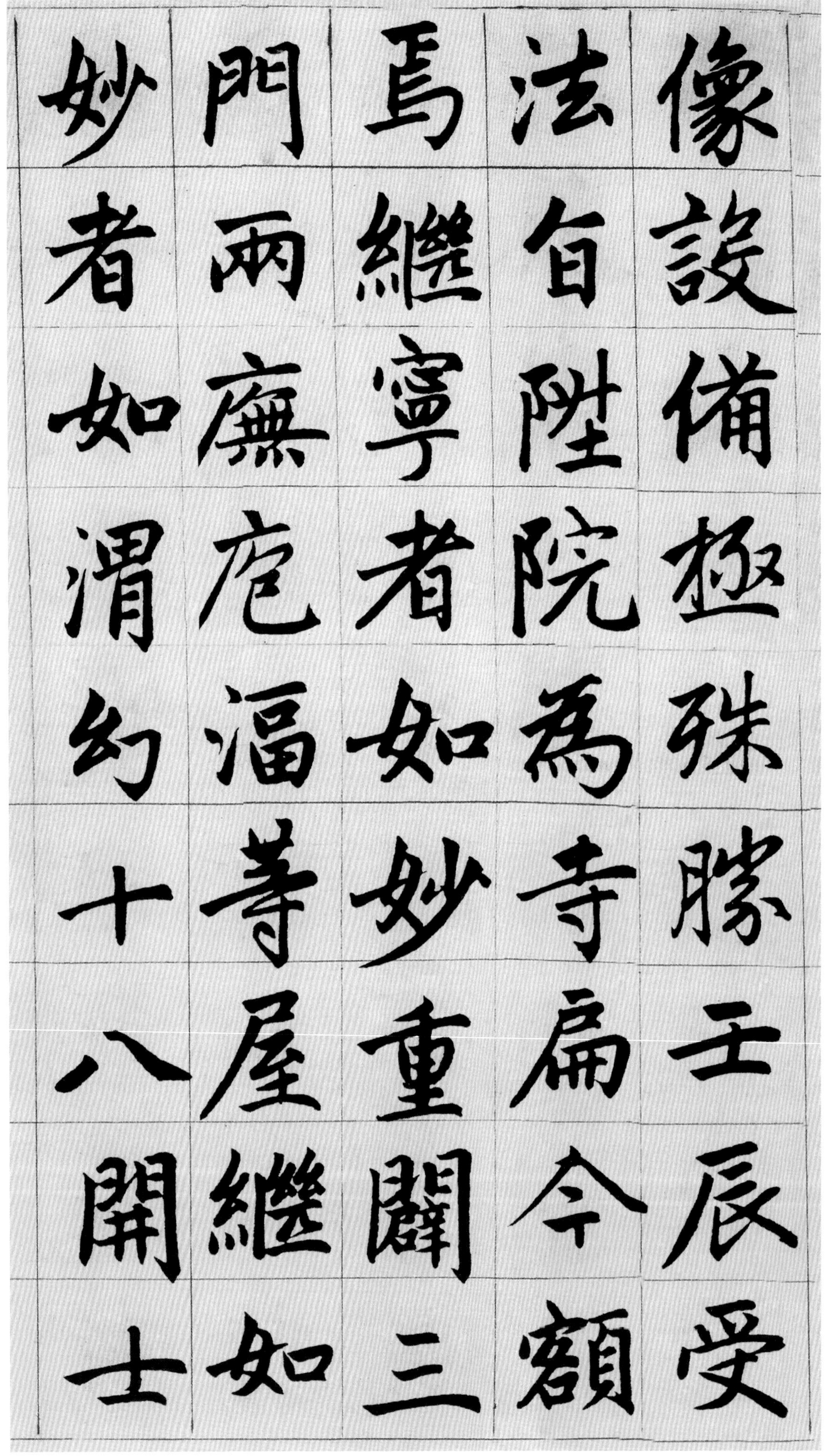

於後殿兩廂金碧眴耀復增置良田架洪鐘繼如渭者明照方將竭歷作興未幾而逝衆以明倫繼之乃能力承知顧

大闌前覩重新佛殿建毗盧千佛閣及方丈凡寺之諸像皆法于成顧未有以記也都寺明秀状其事曰余友文心之

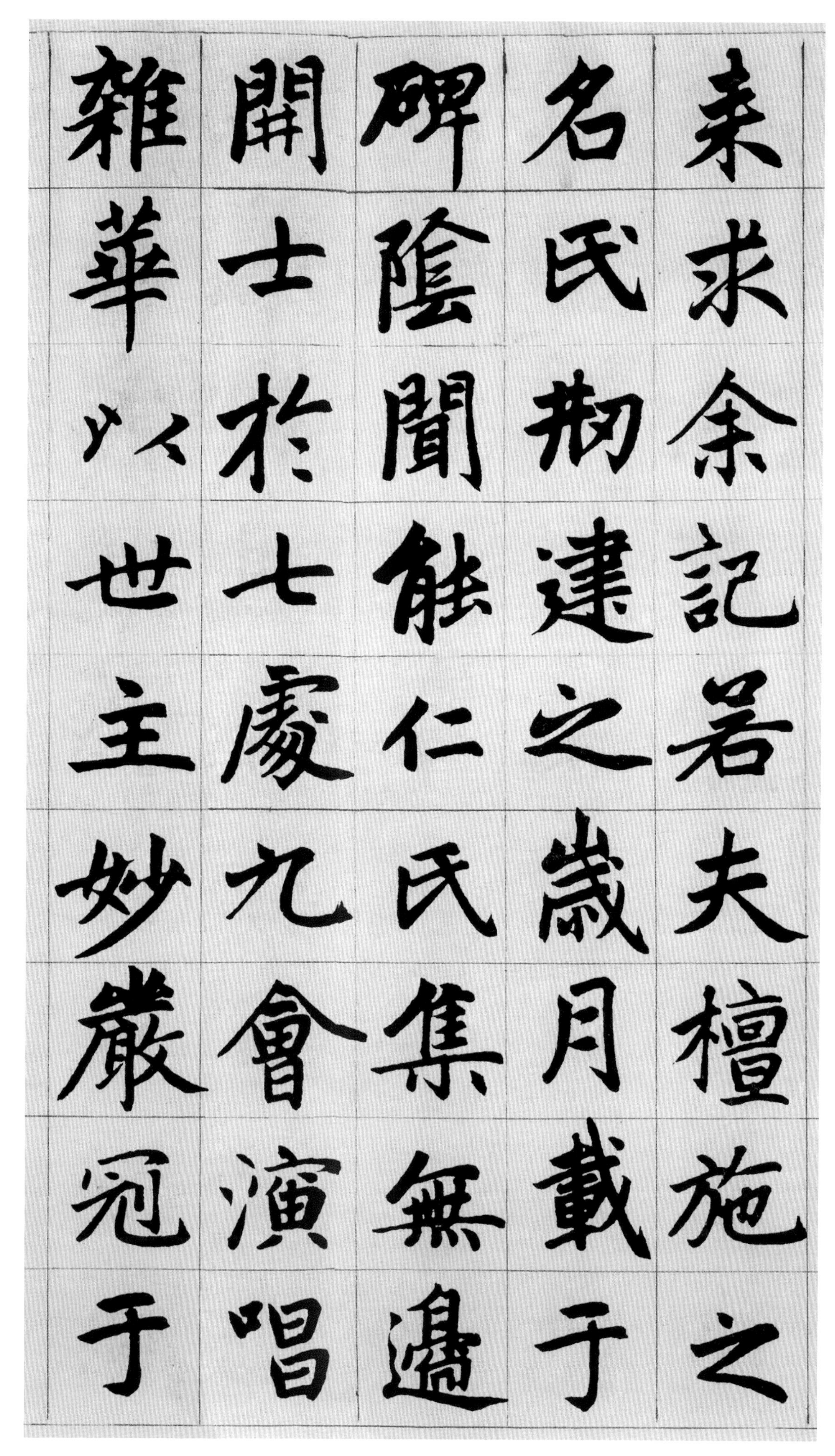
來求余記君夫檀施之
名民劫建之歲月載于
碑陰聞能仁氏集無邊
開士於七處九會演唱
雜華以世主妙嚴冠于

品目之首者良有以也
余老於儒業獨未暇備
殫其蘊與以理約之世
主即佛心也妙嚴乃佛
心中所現之事相也令

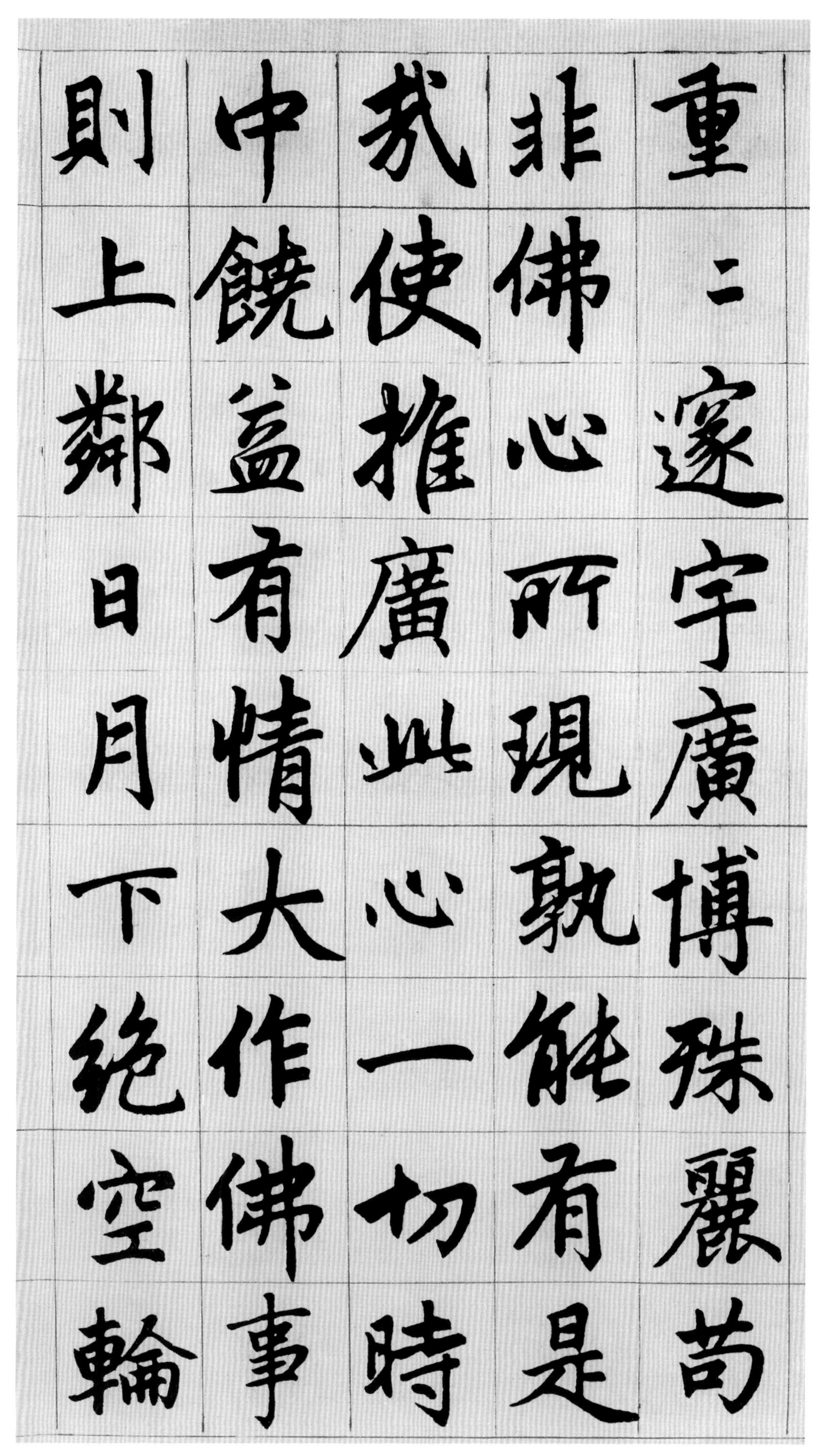
重〻邃宇廣博殊麗苟
非佛心所現孰能有是
哉使推廣此心一切時
中饒益有情大作佛事
則上鄰日月下絕空輪

赵孟頫《妙严寺记》（局部一七）

真範模清淨宛若摩尼
珠光明洞〻含十虛殿
堂樓閣并廊廡天人降
下黃金都地神捧出青
芙蕖萬善萬德均開敷

廣推祖道充寰區警叢
品類空泥塗曰福曰壽
資
皇圖尚何尔佛并吾儒
世出世異惟道俱功俾

造化超有無其不尒者

胡爲乎相

巘

严

泰

朝

事

卿

带

兴

清

林

胜

对

飛

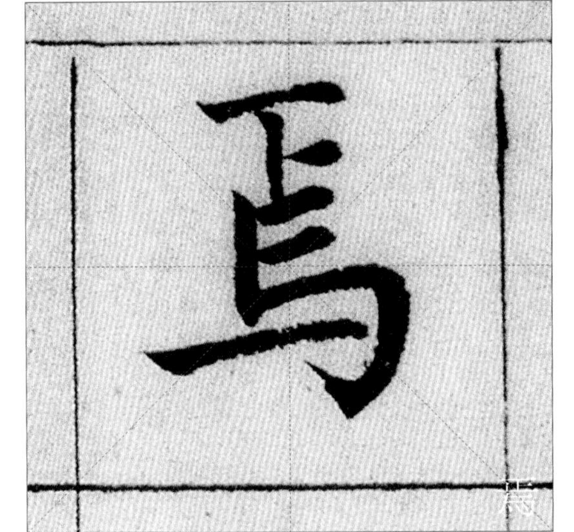
馬

錫

廬

建

雙

烬

翼

悉

然

宁

扫

几

践

良

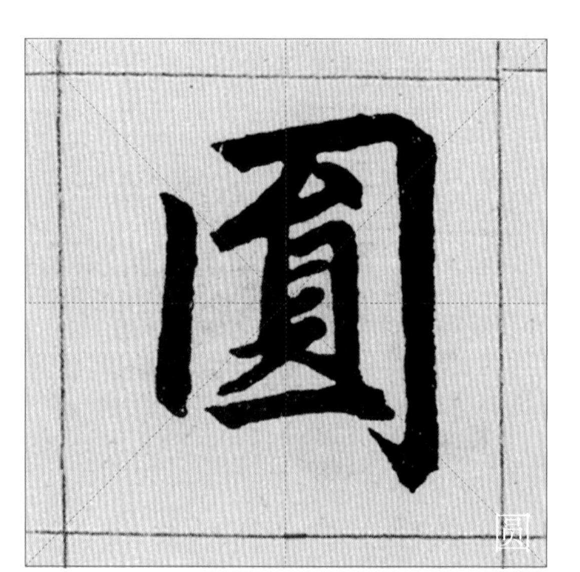
圆

宛

照

载

诸

阴

记

闻

岁

範
范

集
集

閣
阁

處
处

警
警

儒
儒